Angers

Photographies **René-Pierre Alméras**

Texte **Florence Macquarez**

Conception et direction éditoriale **Bertrand Dalin**

Assisté de **Paméla Cauvin**

Couverture - La place du Ralliement, le renouveau au cœur de la ville.

Double page précédente - Angers au bord de l'eau, et de l'autre côté, le quartier de la Doutre (Outre-Maine).

I *Depuis le chemin de ronde du château, la ville, et la Maine en contrebas.*
Pas moins de 17 tours ponctuent l'enceinte du château médiéval.

édito

Avec la Maine à ses pieds et son château ancré dans le schiste, on pourrait comparer Angers à une île. Une île à la fois ouverte et tenace. Nombreux sont ceux qui ont tenté de l'aborder : les Normands, les Bretons, les Anglais, tous s'y sont cassé les dents.

Et puis, tous les Angevins vous le diront : la mer n'est pas si loin ; les vents de l'Atlantique et la lumière de la Loire ont imprégné la ville. Un mélange des genres, à la fois violent et doux, qui se caractérise par une histoire toujours en mouvement : Foulques Nerra, Saint Louis, Henri II Plantagenêt et l'incontournable René d'Anjou en sont les acteurs les plus visibles.

A ces hauts personnages, il faut ajouter la richesse d'un patrimoine qui a fait d'Angers une Ville d'art et d'histoire. Du pain bénit pour tout voyageur en quête d'authenticité, mais aussi de surprises. Car Angers se métamorphose chaque jour : de la ville sage des cartes postales du XXe siècle est née une métropole plus aérée, plus créative. Une ville qui prend plaisir à s'exposer au regard des autres, notamment à travers ses dernières créations : le tramway et le parc de loisirs Terra Botanica.

I *Inauguré en 2011, le tout nouveau tramway file sur le pont Confluences, reliant le quartier de la Doutre à la rive gauche d'Angers. Le pont, suspendu à un arc métallique, mesure près de 300 mètres de long.*

sommaire

édito 3

histoire 6

lieux 26

oxygène 50

gastronomie 66

histoire

Tout commence il y a plus de 6 000 ans. A l'origine d'Angers, un promontoire rocheux que les hommes choisissent pour s'y installer. Une présence attestée par un cairn, tombe monumentale du néolithique, découverte à l'emplacement du château actuel. Trois millénaires plus tard, des Celtes venus du Nord établissent sur le site un oppidum, marquant ainsi leur territoire entre Pictons au sud et Vénètes à l'est.

Ces vaillants Gaulois ne résistent pourtant pas à la conquête romaine qui touche la France au Ier siècle avant J.-C. Nommée « Andes » par César ou « Andécaves » par Pline, la tribu gauloise se romanise peu à peu. En 32 avant J.-C., la cité compte un forum, des thermes et un amphithéâtre.

En cette période de stabilité, près de 3 000 habitants se croisent dans les rues de Juliomagus, le « marché de Jules ». La construction de routes menant à Poitiers, Nantes, Orléans, Le Mans ou Rennes multiplie les échanges vers l'extérieur, confortant ainsi le développement de la ville.

I *Côté sud, près de la rivière, la roche naturelle
et le mur d'enceinte forment les bases de la cité.*

I *Page suivante - Le pont de Verdun remplaça
au XIXᵉ siècle le « Grand Pont » qui reliait la Doutre
au cœur de la cité médiévale.*

Vers le milieu du IIIᵉ siècle, les invasions barbares qui déferlent en Europe mettent à mal l'Empire romain. Contre les Francs et Saxons qui remontent la Loire, un premier mur d'enceinte est construit autour de la cité.

Quand apparaissent les premières traces du christianisme à Angers au IVᵉ siècle, l'évangélisation a déjà fait son chemin. Il n'y aura donc pas de martyrs à Angers. Contemporain de saint Martin à Tours, un premier évêque, nommé « Defensor », est chargé d'administrer la ville. Une église est construite à l'intérieur de la cité, là où se tient la cathédrale actuelle.

A Angers et autour, la foi s'enracine. Les clochers fleurissent tout au long des Vᵉ et VIᵉ siècles : les églises Saint-Martin, Saint-Pierre et Saint-Maurille voient le jour, ainsi que les abbayes Saint-Aubin et Saint-Serge.

Si l'expansion du christianisme poursuit son chemin, les invasions bretonnes puis normandes perturbent le pouvoir politique. Le pays d'Anjou dans son ensemble est livré à la convoitise des uns et des autres. Charles Martel, en limitant les Sarrasins à Poitiers, évite le pire. Les frontières restent peu ou prou les mêmes jusqu'à l'époque carolingienne, seuls les hommes changent selon les turbulences du pouvoir.

Seigneurs puis vicomtes tiennent difficilement les rênes de cette ville située aux marches de la Bretagne. Pillée en 853 par les Normands, occupée à de nombreuses reprises, Angers est certes meurtrie, mais pas à terre. Ingelger, vicomte placé par le roi si l'on en croit la *Chronique des exploits des comtes d'Anjou*, écrite de 1100 à 1140 par un moine angevin, prend les commandes de la région. Son fils, Foulques Ier, dit le Roux, lui succède. Une dynastie est née, celle des comtes d'Anjou.

Issu de cette célèbre lignée, Foulques III Nerra laissera le souvenir d'un guerrier acharné et d'un ardent bâtisseur. Il grignote à force de batailles les territoires voisins (les Mauges, Loudun, Le Lude, Saumur ou Langeais), et rachète ses fautes à travers la création de fondations religieuses. Parmi celles-ci, l'abbaye Notre-Dame-de-la-Charité (future abbaye du Ronceray) et l'abbaye Saint-Nicolas, saint que Foulques Nerra avait invoqué lors de son retour de croisade.

Dans la foulée, les abbayes Saint-Aubin et Saint-Serge sont reconstruites, ainsi que l'église Saint-Martin. Il faut alors imaginer ces lieux remplis de mille et une voix ; celle des moines et des abbés. On y étudie, on y travaille. Les bourgs alentour sont eux aussi touchés par cet essor religieux, porté par l'ordre bénédictin : monastères et prieurés essaiment dans les campagnes.

I *Le cloître de l'ancien hôpital Saint-Jean et ses arcs à colonnes doubles.*

I *La salle des malades de l'hôpital Saint-Jean, l'un des plus anciens ensembles hospitaliers de France, édifié vers 1180. Le style Plantagenêt explose ici grâce aux voûtes fortement bombées, une élégance renforcée par la finesse des nervures. Elle abrite à présent la tapisserie Le Chant du monde, réalisée par Jean Lurçat dans les années 1960.*

I *Page suivante - Vue sur les escaliers de la montée Saint-Maurice, et ses maisons aux toits d'ardoise. Produite dans les ardoisières de Trélazé ou de Saint-Barthélemy dès le XVᵉ siècle en tant que matériau de toiture, l'ardoise angevine est réputée pour sa qualité. Elle est à présent devenue un matériau très tendance, utilisée en décoration ou comme paillis dans les jardins.*

Sous Henri II Plantagenêt, Angers prend une autre dimension au XIIᵉ siècle. Comte d'Anjou et de Normandie, Henri II hérite par sa mère du royaume d'Angleterre, et par sa femme, Aliénor, de l'Aquitaine. Cette union lui ouvre un empire qui va des Pyrénées à l'Angleterre ; l'Anjou y tient une place de choix.

Grâce à ces atouts politiques et commerciaux, Angers s'enrichit. Témoin de ces temps bénis, le voyageur Raoul de Diceto vante dès 1150 l'opulence de la ville avec ses deux ports quai de Ligny : l'un au blé, l'autre à bois. Le style gothique Plantagenêt apparaît sous forme de voûtes fortement bombées, que l'on retrouve à l'hôpital Saint-Jean, fondé vers 1180 par Henri II. Un des plus grands d'Europe, dont on exclut toutefois les contagieux, les incurables et les jeunes enfants...

L'évêché ainsi que le palais comtal, « d'une conception vraiment royale » selon Raoul de Diceto, sont reconstruits. On défriche les terres ; la culture des céréales et de la vigne fait l'objet d'un commerce de plus en plus florissant.

A la fin du XIIe siècle, les fils d'Henri II, Richard Cœur de Lion puis Jean sans Terre échouent à conserver leurs terres face au roi Philippe-Auguste. L'Anjou revient alors dans le domaine royal. Désormais, il faudra protéger la ville non seulement des Bretons, mais aussi des Anglais. Des menaces qui conduisent Blanche de Castille, mère de Saint Louis, à ériger le château en 1232. L'enceinte de la ville est aussi élargie et englobe alors le quartier Outre-Maine (aujourd'hui la Doutre). Cinquante tours ponctuent cette enceinte médiévale.

Devenu duché en 1360, Angers connaît sous Louis Ier un bel essor artistique et littéraire. Début d'une période faste à laquelle on doit la tapisserie de l'*Apocalypse* et l'université, riche de quatre facultés : médecine, droit, théologie et arts. Si les épidémies de peste, puis la guerre de cent ans affectent le développement de la ville, le chemin vers la Renaissance est bel et bien entamé.

René Ier, duc d'Anjou, personnage emblématique s'il en est, incarnera parfaitement cette époque : né au château d'Angers en 1409, ce preux chevalier qui participa à la guerre de Cent Ans aux côtés de Charles VII et de Jeanne d'Arc fut également poète, mécène, amoureux des belles-lettres, des œuvres d'art et de l'architecture. Pour preuve, les magnifiques ouvrages enluminés de sa bibliothèque (rassemblés lors d'une exposition en 2009), et les châteaux qu'il fit ériger. Par ses voyages en Provence, dont il est conte, ou en Italie, le « bon roi René » comme l'appellent ses contemporains, est au croisement des grands courants culturels de la Renaissance, un enrichissement dont profite l'Anjou.

I *Statue du XVIIe siècle située dans la cour des greniers Saint-Jean,
représentant une sœur saint Vincent-de-Paul protégeant une femme âgée.*

I *L'hôtel des Pénitentes dans le quartier de la Doutre, une des plus
belles demeures Renaissance à Angers. Il servit de refuge aux XVIIe
et XVIIIe siècles à une communauté de femmes qui pouvaient y expier
leurs péchés supposés…*

I *Page suivante - La cale de la Savatte borde le quartier de la Doutre.
A cet endroit se tenait autrefois une île, séparée de la rive par le canal
de la Tannerie. Sur les quais, bois, ardoise, tuffeau, blé, sable et charbon
étaient au cœur du commerce fluvial.*

A la fin du XVe siècle, les toiles, vins, ardoises et tuffeau sont expédiés via la Loire, tandis que transitent maintes marchandises venues de Nantes ou de Lyon, comme les épices ou la soie. Avec son hôtel des monnaies, Angers tient une place financière importante de l'Ouest. Son université et ses librairies attirent le temps de leurs études d'illustres personnages : Rabelais, Ambroise Paré, Joachim du Bellay…

Les maisons en pierre se font plus nombreuses, parmi lesquelles le logis Barrault ou l'hôtel Pincé, mais le visage de la ville ne change guère : il y a la cité avec le riche chapitre de la cathédrale, le quartier portuaire et la Doutre, bourgade populaire et artisanale où l'on tanne le cuir.

Les guerres de Religion sonnent le glas de cette embellie. Le gouverneur Donadieu de Puycharic fait araser les tours du château pour les transformer en plates-formes dédiées à l'artillerie. Dans les geôles de ce bâtiment redevenu défensif, de nombreux protestants sont emprisonnés ; Pierre de Rousseau, ancien prêtre catholique, doit expier sa trahison sous la torture en 1545.

L'accalmie toute relative des deux siècles suivants permet aux Angevins de redresser quelque peu le navire. Pour autant, Colbert les juge paresseux et leur reproche de végéter sur leurs traditions autour du chanvre et du lin, de la vigne et des fruits.

Page précédente - Le Grand Théâtre, place du Ralliement, fut construit au XIXᵉ siècle sur les cendres d'un bâtiment plus petit, parti en fumée après un incendie. Temple dédié à la comédie et à la musique, il fut décoré en partie par Jules Eugène Lenepveu et Jules Dauban.

La rue Saint-Laud, une des nombreuses rues piétonnes d'Angers, se distingue par ses petits restaurants en terrasse.

La place du Ralliement, totalement rénovée depuis 2011. Les voitures ont laissé place au tramway, et c'est à présent un vaste plateau piétonnier qui accueille les Angevins. Sensible au développement durable, la ville accueille aussi un salon annuel de la maison en bois.

Si la population est effectivement en chute libre (25 000 habitants à la fin du XVIIIᵉ siècle), tout n'est pas noir. En plus des corderies et des ardoisières dont la production va bon train, la manufacture royale de toiles à voile occupe 8 000 ouvriers. Quant à la manufacture des toiles peintes, elle est comparable à celle des Indes ! C'est aussi la naissance de l'horticulture grâce aux pépinières d'André Leroy. L'architecture n'est pas en reste : de belles demeures aux façades blanches en tuffeau viennent adoucir la ville aux toits d'ardoises.

Les réformes nées de la Révolution sont plutôt bien accueillies à Angers. Les députés du clergé angevin sont parmi les premiers à passer au tiers état. Mais la Terreur n'épargne pas la ville : 2 000 personnes y seront fusillées.

La physionomie d'Angers change enfin au XIXᵉ siècle. Les grands boulevards, greffés sur l'ancienne enceinte, donnent une nouvelle envergure à la ville, qui s'est longtemps contentée de rues étroites. Le chemin de fer contribue à l'accroissement du commerce, notamment dans le domaine de la distillerie mené par les frères Cointreau et celui du textile avec Julien Bessonneau. Victor Hugo en 1834 trouve la ville « pittoresque », terme repris un siècle plus tard par la romancière anglaise Gwen Gilbert en évoquant la place du Ralliement : « Des paysannes, portant la jolie coiffe angevine, y viennent vendre le produit de leur métairie. »

I *Vue sur la Maine depuis les quais.*

I *Sorti de terre en 2010, le parc de loisirs
Terra-Botanica déploie sur 11 hectares
une végétation issue des quatre coins du monde.*

I *Page suivante - Le tramway, nouveau venu en 2011,
traverse la ville du nord au sud, depuis Avrillé
jusqu'au quartier de la Roseraie. Il dessert notamment
le parc Terra Botanica.*

L'image provinciale, voire un peu désuète de la ville, semble pointer son nez.
Réputée bourgeoise (il y a jusqu'à quatre domestiques dans les maisons
aisées), Angers compte pourtant une large majorité de petits salariés, dont un
tiers d'ouvriers.

Occupée à partir de juin 1940, Angers devient pendant la Seconde Guerre
mondiale le siège d'une Kommandantur. Les bombardements alliés de mai 1944
détruisent en partie le quartier de la gare Saint-Laud.

Après guerre, la société évolue, suivant la politique de modernisation insufflée
par les maires successifs de la ville dans le domaine de l'industrie et de l'habitat.
Les quartiers Saint-Michel et Saint-Nicolas sont rénovés, d'autres naissent,
comme celui de Belle-Beille, à travers la construction de grands ensembles. Vers
1960, l'électronique, l'automobile et l'informatique, notamment représentée
par Thomson et Bull, apportent une bulle d'air à l'économie angevine. Les
technologies de pointe et de la santé viennent compléter cette dernière.

A la fin du XXe siècle, le tissu économique se diversifie : il s'élargit aux services
liés aux entreprises, à la biotechnologie, aux filières bioniques et à celles des
nanotechnologies.

Mais c'est le végétal qui ces dernières années remporte la mise. L'horticulture
d'autrefois s'est transformée en un formidable tissu de production et de recherche
où figure par exemple le siège de l'Inra. Devenu un pôle d'excellence végétal, Angers
a fait de la nature son porte-drapeau en créant en 2010 un vaste parc à thème,
Terra botanica.

I Page précédente - Les Angevins ont vite adopté cette immense bâtisse à vocation culturelle. Le Quai, situé en bordure de Maine, offre une programmation théâtrale, chorégraphique et musicale éclectique, mais pas seulement : c'est aussi un centre de création d'art dramatique et de danse contemporaine.

I Le festival d'Anjou existe depuis les années 1950. Avec Avignon, c'est l'un des plus anciens festivals de théâtre en France, dirigé aujourd'hui par Nicolas Briançon. Des artistes renommés sont attachés à la ville, comme Jeanne Moreau (marraine du festival de cinéma Premiers Plans), Danièle Sallenave (écrivaine et académicienne), Stéphane Brizé (cinéaste) ou Frédéric Bélier-Garcia (directeur du Nouveau Théâtre d'Angers).

I Sur les toits du Quai, le restaurant et sa terrasse offrent un panorama exceptionnel sur la cité.

Parallèlement à ces évolutions, le pôle universitaire a gagné en puissance et en compétences. Chaque année, il accueille 32 000 étudiants, dont 2 000 viennent de l'étranger. Une ville plutôt jeune et un brin cosmopolite.

Mais c'est surtout pour sa qualité de vie qu'Angers attire chaque année de nouveaux habitants. Classée dans les journaux et magazines en tête de liste des grandes villes françaises dans ce domaine, Angers se veut aussi culturelle : le festival de cinéma Premiers Plans, le Festival d'Anjou, le nouveau centre Le Quai, le musée des Beaux-Arts, Angers Nantes Opéra et le festival des Accroche-cœurs en sont les porte-drapeaux. Des références enrichies par les compagnies locales et la vie associative. Côté musées, pas encore de grand ouvrage moderne et thématique cependant ; il faudra sans doute patienter quelques années.

Arrivé à Angers en juin 2011, le tramway a métamorphosé le visage de la ville. Aérées, rénovées, voire paysagées, les rues qui l'accueillent ont pris un sacré coup de jeune. Une mutation profonde qui redonne de l'espace aux piétons et limite la circulation dans la ville.

Un atout supplémentaire pour Angers, qui se projette à présent comme une destination touristique à part entière.

lieux

I *Page précédente - Maisons à pans de bois de la rue Toussaint, l'une des plus anciennes artères de la cité. On peut encore y voir une partie des murs de la première enceinte gallo-romaine.*

I *La collégiale Saint-Martin, trésor architectural, remonte en partie à l'époque carolingienne. Elle fut reconstruite sous Foulques Nerra au début du XIe siècle. L'alternance de briques et de pierres calcaires du portail se retrouve sur les arcs de l'intérieur.*

Angers ne se livre pas au premier regard. Question de relief, mais aussi d'histoire, tant les empreintes du passé sont nombreuses et disséminées dans la ville. Tout voyageur, d'ici ou d'ailleurs, ne se contente donc pas de la visiter : il l'explore.

Pour autant, un lieu laisse entrevoir l'essentiel de ses charmes : la Maine, séparant la ville en deux rives. Rive droite, les maisons alignées sur les quais forment le premier plan d'un décor d'où jaillissent quelques clochers. Rive gauche, les murs de la cité et du château, juchés sur leur promontoire.

Monumental et puissant, dominant la Maine d'une trentaine de mètres, ce dernier impressionne par son appareillage de schiste et d'ardoise alternés. Constitué d'une enceinte de 800 mètres comprenant dix-sept tours rondes et massives, ce modèle d'architecture militaire a parfois été comparé au krak des Chevaliers en Syrie. C'est d'ailleurs dans un but défensif qu'il fut édifié au XIIIe siècle par Blanche de Castille, mère de Saint Louis ; la Bretagne voisine était alors l'ennemie jurée de l'Anjou.

I *Dans la cour du château, derrière les remparts,
le calme est quasi absolu, alors que la ville est à deux pas.*

I *Cerise sur le château, une halte à la terrasse
du restaurant installé dans l'ancien logis du gouverneur.*

I *Page suivante - Vue plongeante sur la Maine et
le quartier d'« outre-Maine » (d'où le nom de la Doutre)
depuis le château. On comprend mieux que les Angevins
possédaient un avantage certain face à leurs assaillants,
Bretons et Normands.*

Derrière ses hauts murs massifs se cache une tout autre architecture. Dès le Xe siècle, Foulque Nerra avait fait construire une grande salle comtale, Aula, véritable palais et siège du pouvoir. Sous les comtes d'Anjou, la chapelle, le logis royal et le châtelet construits au XVe agrémentent la cour du château. La fonction défensive du château perd de sa superbe sous le roi René. Il y installe un jardin et des vignes tandis que les douves accueillent une ménagerie. Le logis du gouverneur au XVIIe siècle complète cet ensemble.

A l'est du pont-levis, la promenade du Bout-du-Monde mène à une terrasse dominant la Maine ; l'origine de la cité prend ici tout son sens. La vue plongeante à 180 degrés embrasse le nord et l'ouest de la ville ; une situation idéale pour qui veut se protéger des dangers extérieurs. A deux pas, un lacis de ruelles pavées mène au cœur de la cité. De belles maisons à pans de bois bordent ces rues, celles en pierre n'en sont pas moins intéressantes. Rue Saint-Aignan, le logis de l'Estagnier (ou logis du Croissant) porte un blason au-dessus de la porte, emblème de l'ordre de chevalerie créé par le roi René en 1448. On imagine facilement les chanoines attachés à la cathédrale circuler dans ce dédale de rues dont ils ont fait leur quartier jusqu'à la Révolution.

I *Page précédente - A l'intérieur de la cathédrale gothique, trois grandes voûtes d'ogives forment la nef.*

I *Le chœur, réalisé sous l'épiscopat de Guillaume de Beaumont, vers 1250.*

I *Parmi les superbes vitraux du XIIe siècle, la dormition de la Vierge.*

En arrivant sur la petite place Freppel, la cathédrale Saint-Maurice tente de se faire une place entre les maisons ; ses deux tours élancées vers le ciel semblent défier les lois de la gravité, impression renforcée par sa position dominant la Maine depuis la montée Saint-Maurice. Sa construction, commencée au milieu du XIIe siècle sous l'évêque Normand de Doué, s'achève un siècle plus tard. L'ancienne nef romane est surélevée, et de grandes voûtes à ogive sur plan carré, hautes de 25 mètres, viennent coiffer l'ensemble. Parmi les nombreux vitraux de la cathédrale, la dormition de la Vierge, le martyre de Saint-Vincent ou la vie de Saint-Martin illustrent parfaitement l'essor grandissant de cet art au XIIe siècle. Avec Le Mans et Poitiers, Angers figure parmi les ateliers de vitraux les plus anciens de l'ouest de la France.

Sur le portail de la façade, le Christ en gloire est entouré des symboles des quatre évangélistes : le lion, le taureau, l'aigle et l'homme, scène liée à l'Apocalypse selon saint Jean. A la base de la tour centrale et de son lanternon, ajoutés au XVIe siècle, Saint-Maurice et sept de ses compagnons soldats ornent la grande galerie.

I *Sur la façade de la cathédrale, saint Maurice et sept de ses compagnons soldats, figures des martyrs du IIIe siècle, ornent une grande galerie réalisée en 1537 (copie du XXe).*

I *Page suivante - La maison d'Adam appartient à la série de beaux édifices des XVe et XVIe siècles édifiés pour de riches marchands de la ville (d'autres sont visibles rue Saint-Laud, rue de l'Oisellerie, ou rue Beaurepaire comme la maison de Simon Poisson). Parmi les sculptures de la façade, on trouve aussi bien un couple d'amoureux, l'ange de l'Annonciation ou un joueur de flûte. Le fantastique, avec les centaures, griffons et chimères, a aussi sa place. La maison doit son nom aux figures d'Adam et Eve qui encadraient l'arbre de vie autrefois.*

Derrière le chevet de la cathédrale, la place Sainte-Croix accueille une des plus belles demeures d'Angers : la maison d'Adam, maison à pans de bois édifiée au XVe siècle. Ses dimensions imposantes et son décor sculpté, en bois lui aussi, révèlent l'opulence des propriétaires successifs de l'époque, tous apothicaires selon les archives. Scènes religieuses et profanes se côtoient sur les colonnes et les encorbellements. On y trouve ainsi la fée Mélusine, fée locale du Grand Ouest, saint Georges terrassant le dragon, un couple d'amoureux, mais aussi nombre de griffons et de chimères.

Depuis la rue piétonne Saint-Aubin, axe commerçant au Moyen Age, un petit passage conduit à la collégiale Saint-Martin. Restaurée et ouverte au public en 2006, cette église est un petit bijou dont la construction remonte à l'époque carolingienne ; commandé par Foulques Nerra, c'est le plus ancien monument de la ville, le plus sobre aussi par la simplicité de son appareillage. Modifiée au fil des siècles, l'église porte aussi sa part de gothique. On distingue encore dans la chapelle des Anges des fresques de cette époque. Lieu d'exposition de sculptures religieuses de l'Anjou, la collégiale accueille également des expositions temporaires. L'une d'elles, Anjou et Design, a récemment mis en lumière le savoir-faire de créateurs angevins ; un pari osé, mais réussi, réunissant architecture médiévale et art contemporain.

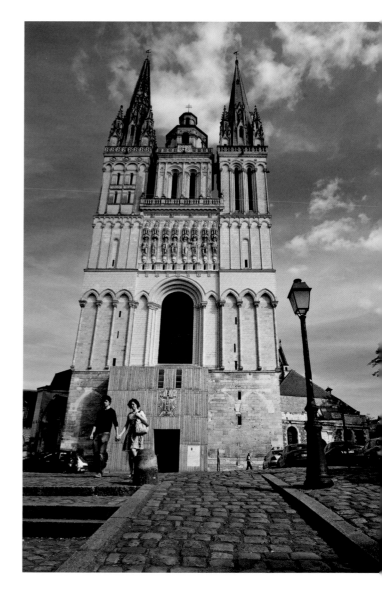

I *Page précédente - La place Saint-Eloi, au cœur de la cité. Dans le fond, la tour Saint-Aubin est à présent un lieu d'expositions temporaires.*

I *Petit passage entre la place Saint-Eloi et la rue Toussaint, un lieu où le charme de la ville opère totalement.*

Située à deux pas, l'abbaye Saint-Aubin, fondée au Ve siècle, n'a conservé que peu de vestiges. Mais quels vestiges ! Le cloître du XIIe, intégré à la préfecture, et l'ancien clocher fortifié de l'abbaye, appelé la tour Saint-Aubin. Depuis ce beffroi haut de 54 mètres, l'astronome Cassini observait les étoiles.

A ses pieds, la place Saint-Eloi, entièrement piétonne, fait office de cour intérieure. Bordée de maisons anciennes d'un côté, et du logis Barrault de l'autre, c'est un endroit magique, encore peu fréquenté des Angevins malgré la rénovation totale du site en 2007. Le calme qui y règne, le charme des maisons anciennes en font une des plus belles places de la ville. Le logis Barrault, actuelle demeure du musée des Beaux-Arts, évoque par ses hautes fenêtres et son élégance quelque palais vénitien. La blancheur du tuffeau a retrouvé sa splendeur après une rénovation qui a duré quatre ans. La large assise des pierres (jusqu'à 80 centimètres) leur a valu le nom de Barraude, du nom du propriétaire des lieux, Olivier Barrault, maire d'Angers et trésorier du roi, à la fin du XVe siècle.

I *La galerie David d'Angers, installée dans l'ancienne église abbatiale Toussaint, du XIIIᵉ siècle. Longtemps restée à l'état de ruine, l'église fut restaurée pour abriter les œuvres du sculpteur, dont la notoriété devint nationale au XIXᵉ siècle. Il fréquenta de nombreux savants, hommes politiques et artistes, qu'il représenta en buste ou en médaillons.*

I *Page suivante - Dans la cour du musée des Beaux-Arts, l'Arbre aux serpents de la plasticienne Nicky de Saint Phalle (1930-2002) tranche joyeusement avec l'ordonnance classique des fenêtres de la Renaissance.*

Dans ce vaste musée de 3 000 mètres carrés incluant le séminaire voisin du XVIIᵉ, la scénographie a été totalement remaniée. A l'étage se tiennent les collections anciennes dans des pièces aux couleurs chaudes, tandis que le sous-sol abrite des expositions temporaires. *La Vierge à l'enfant* de Pisano, de l'école italienne du XVᵉ siècle, *La Demande en mariage* de Guillaume Bodinier du XIXᵉ, ou le célèbre *Paolo et Francesca* peint par Ingres en 1819 constituent les pièces maîtresses du musée, sans oublier les tableaux de Monet, comme *Train dans la campagne*, ou ceux d'Eugène Boudin.

Côté sud, une vaste esplanade mène au jardin des Beaux-Arts. Un lieu apprécié par les étudiants pour sa proximité avec la bibliothèque Toussaint, dont les larges baies vitrées donnent sur les azalées et tulipiers du jardin. Entre ce dernier et la rue, l'église de l'ancienne abbaye Toussaint est le seul témoin de l'ensemble monacal qui existait à l'époque médiévale, au XIIIᵉ siècle, ensemble placé sous la règle de saint Augustin. La charpente de bois de cet édifice à nef unique, couverte de verre, tranche avec le style gothique déployé à l'intérieur. Contraste stylistique qui permet toutefois aux œuvres du sculpteur David d'Angers (1788-1856) d'être inondées de lumière : élève de son homonyme le peintre David, il reçoit le grand prix de Rome en 1811 et part étudier en Italie. Ses sculptures sont en large partie des portraits d'hommes et de femmes illustres, dont Balzac, Goethe, Washington ou Lafayette.

Le cloître, reconstruit au XVIIᵉ siècle, possède deux ailes symétriques autour d'une galerie principale. Un brin classique, ce bâtiment en accès libre depuis la rue possède néanmoins un charme indéniable grâce à son ouverture sur le jardin. Petite oasis de pierre et de verdure, c'est le lieu romantique par excellence.

I *Page précédente - Dans le style Art déco, la maison Bleue,
édifiée en 1939, est l'œuvre d'Isidore Odorico. Destinée à accueillir
des appartements luxueux, sa façade est entièrement recouverte
de mosaïques dont les couleurs bleues, or et beiges forment
une somptueuse fresque, à l'angle de la rue d'Alsace
et du boulevard Foch.*

I *L'Alcazar, témoin de l'Art nouveau, est un ancien dancing très prisé
au XIXᵉ siècle par les bourgeois. Les nombreuses arabesques inspirées
du monde végétal forment le décor de la façade et des balcons.*

L'autre quartier piétonnier d'Angers, c'est celui qui entoure la place du Ralliement. Une place totalement transformée avec la venue du tramway. Plus aucune voiture n'y circule depuis l'été 2011. Autour de cette place carrée, les rues Saint-Laud, Lenepveu, de la Roë, Baudrière comptent des maisons d'époques et de styles différents, depuis la Renaissance jusqu'au XIXᵉ siècle. Large période où l'on trouve aussi bien des maisons à pans de bois que des demeures Art nouveau. Il n'empêche, l'ensemble s'est patiné au fil du temps, et on se régale à se promener nez au vent dans ce musée à ciel ouvert.

L'hôtel Pincé, du XVIᵉ, celui de la Godeline, premier hôtel de ville d'Angers de 1484 à 1529, le dancing l'Alcazar du XIXᵉ siècle, la poste et l'ancien cinéma Le Palace, Art déco, comptent parmi les monuments emblématiques de ce quartier. L'Art déco vise même la perfection dans la réalisation d'Isidore Odorico, la maison Bleue, située sur l'avenue Foch. Un des plus beaux décors de mosaïque de l'architecture privée en France, à l'extérieur comme à l'intérieur.

A l'est, la place Imbach marque l'extrémité de ce quartier ; on voit encore la trace des anciens remparts de la ville sous la terrasse du musée d'Histoire naturelle. Pour autant, cette place n'est pas figée dans l'histoire. Très animée les jours de marché, elle est appréciée pour son effervescence et les terrasses de café qui la bordent.

I *La tour des Anglais, dernier vestige de l'enceinte construite sous
le règne de Saint Louis, près de l'actuel pont de la Haute-Chaîne.
Un nom provenant des chaînes présentes au Moyen Age :
elles servaient à fermer l'accès de la rivière.*

I *Page suivante - Sous le pont de Verdun à la tombée du jour.*

Non loin d'ici, on découvre la Maine. Ses quais, autrefois lieux d'échanges et de commerce, sont malheureusement masqués par la voie rapide construite dans les années 1980. Parmi les quatre ponts enjambant la rivière, le pont de Verdun est celui dont l'origine remonte le plus loin. A l'époque médiévale, des pêcheries, des moulins à eau et des maisons y avaient élu domicile. En amont et en aval, les ponts de la Basse-Chaîne et de la Haute-Chaîne étaient ainsi nommés en raison des chaînes qui fermaient ou non la rivière. Le dernier, le pont de Confluence, est né avec le tramway.

De l'autre côté, le quartier situé « outre-Maine » est devenu celui de la Doutre. Les péniches et les bateaux amarrés cale de la Savatte rappellent l'activité portuaire d'autrefois dans ce quartier ou mariniers, fillassiers, cordeliers tisserands et tanneurs s'étaient installés. Sur la place de la laiterie et dans les rues adjacentes, les maisons à pans de bois de riches marchands sont encore nombreuses : rue Beaurepaire, la maison de l'apothicaire Simon Poisson, datée de 1582, est ornée de figures allégoriques et de palmettes.

Dans ce quartier aux rues étroites, la balade à pied est un pur régal. Depuis l'abbaye du Ronceray, audace de l'architecture du XIe siècle avec ses berceaux plein cintre longitudinaux, on peut rejoindre l'un des plus ancien ensemble hospitalier en Europe : l'hôpital Saint-Jean, et les greniers du même nom. Témoins de l'influence notable du style Plantagenêt à Angers (Henri II les fit construire en 1180), ces deux édifices sont remarquablement restaurés.

Derrière la façade assez austère de l'hôpital se trouve la salle des malades, vaste halle de 60 mètres de long divisée en trois nefs. Au-dessus, les voûtes d'ogive fortement bombées reposent sur de fines colonnes. La salle abrite aujourd'hui la tapisserie *Le Chant du monde*, de Jean Lurçat, l'une des œuvres actuelles du musée du Textile et de la Tapisserie contemporaine, formé par l'hôpital et l'ancien orphelinat du XVIIe siècle.

I *Après quatre années de chantier, le tramway a retrouvé sa place dans la ville (le dernier s'était arrêté en 1949). Il dessert au nord d'Angers le nouvel écoquartier des Capucins, où 25 000 personnes devraient s'installer d'ici à 2030.*

I *Le quartier Saint-Serge offre aux étudiants de la faculté voisine un espace de détente bienvenu, un multiplexe doté de 12 salles.*

I *Page suivante - Sur la rive droite, le quartier du Front-de-Maine fait face au château. Autrefois zone de prairies inondables, cet espace sauvage fut remblayé au XIXe siècle afin d'y installer les abattoirs de la ville. Ceux-ci furent détruits en 1991, et c'est à présent un vaste ensemble immobilier.*

En remontant les berges vers le récent quartier du Front de Maine, on découvre un vaste quadrilatère, masse de béton, de verre et d'acier aux allures de hangar surdimensionné. Un peu surpris lors de sa création en 2007, les Angevins se sont peu à peu habitués à cette bâtisse bien nommée Le Quai. Il s'agit en fait du plus grand centre culturel de la ville, intégrant à la fois la danse (Centre national de danse contemporaine), le théâtre (Centre dramatique des Pays de la Loire), et bien d'autres disciplines comme la musique, les arts du cirque, la sculpture, les arts de la rue... La programmation, éclectique, s'adresse à tous les styles : de Shakespeare au spectacle de hip-hop en passant par les chœurs d'Angers Nantes Opéra, les spectacles s'inscrivent dans une dynamique artistique globale, portée par une équipe pluridisciplinaire. Car il y a une vie en dehors des spectacles ; celle du grand bal moderne par exemple, des dimanches en famille ou des belles expositions dans le Forum.

Parmi les autres constructions contemporaines de la ville, la gare Saint-Laud a redonné du panache à tout un quartier. Elle est ornée d'une façade très largement vitrée, et sa transparence lui donne des airs de liberté. En TGV, Paris n'est qu'à quatre-vingt-dix minutes de la capitale angevine.

Remanié lui aussi, le quartier Saint-Serge accueille une faculté et un centre d'affaires. Ici, perspectives et lignes de fuite se faufilent entre les immeubles de travail ou d'habitation. Les rails du tramway engazonnés créent un joli contraste entre le vert de l'herbe et la blancheur des habitations.

© Florence Macquarez

I *Page précédente - Le tramway dessert le quartier d'affaire et l'université de Saint-Serge, situés à deux pas du centre-ville ; 32 000 étudiants vivent à Angers, dont 2 000 sont étrangers. Avec 155 000 habitants intra-muros, Angers est la deuxième ville la plus peuplée des Pays de la Loire, mais aussi l'une des plus jeunes : 48 % des habitants ont moins de 30 ans !*

I *Promenade des bords de Maine.*

I *Le Forum du quai est aussi un lieu d'exposition temporaire, assez vaste pour accueillir en 2010 les magnifiques statues d'Ousmane Sow, artiste sénégalais. La ville d'Angers vient d'ailleurs d'acquérir une des statues de l'artiste, un guerrier massaï, lequel veille à présent sur l'esplanade de la gare.*

Ville d'art et d'histoire, Angers peut aussi être innovante dans le domaine de l'urbanisme, des transports et de l'architecture. Si certains projets comme le Front de Maine n'ont pas toujours eu bonne presse, force est de constater que les changements opérés depuis quelques années enterrent peu à peu l'image d'une ville un tantinet vieillotte que certains lui prêtaient.

L'importance donnée à l'environnement durable commence lui aussi à payer. Le tramway en est la partie la plus visible via sa liaison nord-sud, comme d'autres chantiers en cours ou à venir, qui contribuent à une lecture plus aérée et plus verte de la ville.

Parmi ceux-ci, la suppression de la voie rapide longeant la Maine est en bonne voie. D'ici à quelques années, la reconquête des berges devrait permettre de réunifier la ville autour de sa rivière, une transformation majeure, aussi pratique qu'esthétique.

oxygène

L'avantage à Angers, c'est que l'on n'est jamais loin d'un coin de verdure. Située au confluent de trois rivières, la Sarthe, le Loir et la Mayenne, la ville bénéficie d'un environnement propice à l'épanouissement des végétaux. Et côté climat, c'est bien dans ce domaine que peut s'appliquer la « douceur angevine » du poète Joachim du Bellay.

Hivers doux, étés tempérés, les gelées sont juste présentes pour calmer les ardeurs de la sève. Dans les jardins ou les espaces verts, les occasions de flâner sont donc nombreuses. Les Angevins en sont les premiers convaincus, eux qui dès les premiers beaux jours emmènent pique-nique et amis pour passer du bon temps le long d'une rivière, dans un sous-bois ou tout simplement dans un parc.

Aux alentours d'Angers, les paysages diffèrent du nord au sud, de l'est à l'ouest : prairies, bocages, vallons et vignes sont les signes extérieurs d'un sol contrasté, entre la Bretagne, la Touraine et le Poitou. Constitués de terres argilo-sableuses, de terres de bruyère ou d'alluvions, ces sols et le climat tempéré ont largement favorisé la variété des plantes et des fleurs. Aujourd'hui, le Maine-et-Loire se classe en tête des départements français en matière d'horticulture.

Bien sûr, la main de l'homme, associée à des années de culture et de recherche, a été nécessaire pour en arriver là. Premiers à donner de l'envergure aux cultures fruitières et potagères : les moines des nombreux monastères du Moyen Age. Côté jardin, le roi René fait office de précurseur, lui qui avait fait pousser des vignes, des fleurs et moult herbes aromatiques au sein même du château. Dans son *Livre du cuer d'amour espris*, René d'Anjou plante le décor dans le jardin médiéval, alors symbole d'amour courtois. En souvenir de cette époque, les jardiniers du château ont conçu des espaces parsemés de néfliers, d'absinthe et de mûriers. Puis il y eut les botanistes et les horticulteurs au XIXe siècle, dont Gaston Allard et André Leroy furent les chefs de file à Angers.

Ce n'est donc pas un hasard si les Angevins sont passés maîtres dans l'art des plantes ; hortensias, rosiers, orchidées et arbustes de France viennent en grande partie du Maine-et-Loire. Le Pôle végétal de l'Anjou lancé dans les années 1990 est devenu un pôle économique à part entière. Il comprend des unités de recherche et de conservation, entre autres l'Inra et l'Institut national d'horticulture et du paysage. Près de 25 000 emplois sont directement ou indirectement liés à ce secteur.

Cette notoriété a permis à l'Anjou de se forger une identité touristique largement tournée vers le végétal, notamment à travers le nouveau parc de loisirs Terra botanica.

L'aménagement de celui-ci relève du défi : 275 000 arbres et végétaux du monde entier ont été plantés sur 60 0000 mètres carrés de jardins et de paysages. Défi relevé ; en deux ans seulement, l'énorme chantier situé au nord de la ville s'est mué en quatre univers chargés d'histoire, de découvertes et d'esthétisme.

Les plantes se dévoilent à travers des espaces pédagogiques, des animations ou des attractions : parmi celles-ci, un voyage en barque au milieu des fleurs et des plantes médicinales cultivées en Anjou, ou la balade des cimes, parcours en haut des arbres dans une coquille de noix. Incontournables, les projections de films faisant appel aux dernières technologies en matière d'attraction, retracent l'histoire des plantes à travers la science ou les voyages.

Ce parc, qui se positionne comme l'attraction phare du département, a été conçu dans une démarche d'environnement durable : arrosage des plantes au goutte-à-goutte, cours d'eau alimentés par l'eau de pluie, plantes épuratoires, chaudière mixte bois/gaz pour les serres, bardage en bois pour le centre d'affaires, murs de végétaux et lumière naturelle optimale, autant d'efforts qui révèlent l'esprit plutôt écologique des Angevins.

I *Le jardin des Plantes, un lieu de promenade*
très apprécié des Angevins du centre-ville.

I *Page suivante - La Vénus d'Arles veille*
sur les massifs fleuris. Une belle illustration
des « quatre fleurs » décernées à la ville d'Angers.

Répartis sur plus de 800 hectares, les autres espaces verts de la ville font partie intégrante du patrimoine. Au cœur de la cité, le jardin des Plantes en est un bel exemple. On s'y promène au milieu d'arbres remarquables dont un zelkova âgé de 125 ans. L'arbre aux pochettes, les platanes bicentenaires et un Paulownia tomentosa dominent les nombreux massifs de fleurs tandis que le ruisseau le Sansom coule au fond du vallon. La vocation botanique de cet espace né au siècle des Lumières a finalement laissé place à un jardin à l'anglaise. Il n'empêche, les premiers directeurs de ce jardin, Merlet, Bastard, Boreau, ont attiré l'attention du monde savant sur la botanique angevine en publiant et en échangeant leurs connaissances.

Cette soif de botanique, on la retrouve chez Gaston Allard (1838-1918), qui se destinait au départ à l'étude des papillons. Ce scientifique ramena de ses voyages autour de la Méditerranée maints graines et plants précieusement conservés dans la propriété familiale de la Maulévrie, devenu l'arboretum Gaston-Allard. Après les conifères, les séquoias et les marronniers, il collectionna les chênes. Grâce à sa participation au comice horticole d'Angers, les graines et les plants affluèrent de l'étranger et l'arboretum devint une référence en la matière. Aujourd'hui, le concept de conservatoire est toujours là, puisque la maison familiale abrite le Musée botanique. Les jardins quant à eux accueillent des plantes de régions tempérées du monde entier : if d'Irlande, lilas des Indes, arbres aux fraises ou encore laurier de Californie...

Autre lieu d'agrément à proximité du palais de justice, le jardin du Mail (au XVIIe siècle, espace dédié au jeu du mail), pourrait à lui seul justifier le label « quatre fleurs » attribué à la ville d'Angers. Avec ses 40 000 plantes printanières et estivales, ce jardin à la française mis en scène par l'horticulteur André Leroy au XIXe siècle est un véritable musée floral à ciel ouvert. Depuis l'ombre de ses platanes, on peut savourer les charmes du kiosque à musique ou ceux de la fontaine de Barbezat.

Dans les parcs bordant la ville, l'eau est l'élément essentiel du paysage. Ainsi, le parc Saint-Nicolas s'étend autour du Brionneau, élargi au Xe siècle pour extraire le schiste ardoisier (il servira à la construction du château). Longeant l'étang, un sentier court à travers de petites landes, des marais et des sous-bois situés sur les coteaux. Joliment vallonné, ce parc de 32 hectares est relié par une passerelle au parc des Carrières, à celui de la Haye, et à celui de la Garenne.

A quelques enjambées, le parc Balzac, inauguré en 2001, est une création tout à fait originale ; la moitié a été réalisée sur des prairies inondables, l'autre sur l'emplacement d'une ancienne décharge ! L'ensemble (50 hectares) a fait l'objet d'un aménagement à vocation écologique et paysager. Divisé en une dizaine de jardins à thème, dont des jardins familiaux, les basses prairies, le marais, les dunes et vagues vertes, ce parc allie la simplicité à la diversité. La promenade du front de Maine, face au château, est un lieu idéal pour assister aux spectacles donnés sur l'eau à la belle saison ou à l'occasion des feux d'artifice.

A ses côtés, le lac de Maine offre un vaste lieu de détente et d'activités sportives. En été, plage de sable et planches à voile donnent un air de station balnéaire à la ville.

L'île Saint-Aubin et les Basses Vallées angevines, au nord d'Angers, constituent une escale de choix pour les oiseaux migrateurs tels les barges à queue noire, le vanneau huppé, le pluvier doré ou le râle des genêts. Ces espaces naturels, recouverts d'eau en partie pendant l'hiver, sont riches en alluvions, vivier naturel pour la faune et la flore ; plusieurs espèces protégées y poussent, dont la gratiole officinale, l'inule d'Angleterre, la stellaire des marais et la cardamine à petites fleurs.

I *Page précédente - Paysage de Loire. Si elle a souvent inspiré les peintres, la Loire est aussi un lieu de vie. On y vient pour y pêcher, pique-niquer, fêter un événement, ou tout simplement faire la sieste.*

I *Quiétude de la Loire à Béhuard. La lumière du fleuve participe à la douceur angevine.*

I *Gabare, traditionnelle barque ligérienne à fond plat, à la pointe de Bouchemaine.*

Mais le jardin favori des Angevins est sans doute celui qui borde la Loire, sauvage et lumineuse, un site appartenant au Val de Loire, inscrit en 2000 à l'Inventaire du patrimoine mondial de l'Unesco au titre de « paysage culturel ». A l'est comme à l'ouest d'Angers, les villages forment des points d'ancrage autour desquels il fait bon se promener : Les Rosiers-sur-Loire, Les Ponts-de-Cé, Bouchemaine, Rochefort-sur-Loire, Savennières, Chalonnes-sur-Loire... Des lieux que l'on peut découvrir au plus près en longeant le fleuve grâce au parcours de « la Loire à vélo ». Le paysage n'est jamais le même, modelé par le fleuve le plus sauvage de France : longs bancs de sable, cales en pierre abritant leurs plates (embarcations à fond plat), corniches, îles arborées, guinguettes, maisons et murets de pierres. Un univers encore préservé des grands aménagements touristiques, où se côtoient paisiblement les oiseaux, les canoës ou tout simplement les amateurs de sieste !

On l'aura compris, la nature n'est pas qu'un concept pour les habitants. Pour preuve, les nombreux sentiers de randonnée aménagés autour d'Angers. En quelques kilomètres, on peut humer l'odeur du sable dans les vignes, se rafraîchir à l'ombre des chênes ou découvrir un vallon bordé de pins.

Un privilège que les Angevins aiment prolonger dans leurs propres jardins, ou ceux de la ville, pour le plus grand plaisir de leurs hôtes.

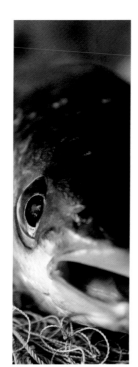

gastronomie

On a beaucoup parlé ces dernières années du régime crétois ou des plats du sud-ouest de la France pour leurs vertus diététiques. Mais la cuisine de l'Anjou pourrait elle aussi rivaliser avec cette cuisine du Sud par la diversité de ses produits et une certaine *dolce vita* à l'angevine. Ajoutez à cela un climat tempéré, et vous aurez le secret d'un art de vivre où la table joue un rôle important.

Angevins de naissance ou d'adoption, les habitants sont en effet très attachés à leur cuisine régionale, et aux plaisirs qui vont de pair. Au restaurant, en famille, ou dans une guinguette des bords de Loire, manger est souvent un prétexte pour se réunir, discuter, rire et même chanter ! Il y a d'abord le temps de l'échange, puis celui de la dégustation, et enfin le mélange des deux. Un rituel hérité de traditions familiales et sociales, mises en scène dès la Renaissance par Rabelais, né entre la Touraine et l'Anjou. Son truculent Gargantua offrit en remerciement aux Angevins son cure-dent en os de baleine, preuve s'il en est que les repas étaient déjà fort bien garnis.

I *Sur l'assiette en ardoise du pays, cuisine du pêcheur
préparée par Antoine Bouyer. Mulet de Loire rôti et fumé,
pommes de terre à la fleur de sel.*

I *Cuisine du vignoble préparée par Antoine Bouyer.
Pigeonneau du haut Anjou vigneronne.*

I *Page suivante - Le panier des vallées angevines :
asperges, carottes, champignons dits « de Paris »,
en l'occurrence produits à Saumur.*

Région de bocage, mais aussi de plaines riches en alluvions, l'Anjou a développé un éventail de produits à l'image de sa géologie : variée. Terre argilo-sableuse, terre d'alluvions ou de bruyère composent ce tapis magique. A cela, il faut ajouter l'aide de la main de l'homme, qui a modelé le paysage au fil des siècles. Par ailleurs, la contrainte des haies bocagères a préservé l'agriculture de tout gigantisme.

Dans les plaines maraîchères, les petits pois, asperges et haricots verts sont légion, notamment dans la vallée de l'Authion. Les champignons dits « de Paris », viennent en fait des galeries en tuffeau de la région de Saumur. Conservées à 15 degrés et à humidité constante, les caves produisent quotidiennement 55 à 60 tonnes de champignons que l'on retrouve sur la plupart des marchés de France.

Autour d'Angers, les productions fruitières sont bien visibles, avec ou sans filet… Autrefois, des syndicats agricoles se formaient, dans le but unique d'éloigner les oiseaux.

❘ *Page précédente - Depuis le restaurant Le Favre d'Anne à Angers,*
le plaisir des yeux rejoint celui du palais. Au fond, la vue s'étend
de la cathédrale au château d'Angers.

❘ *Pascal Favre d'Anne, une étoile au Michelin, préside les cuisines*
de ce restaurant des bords de Maine. Dans ses assiettes, de nombreux
produits locaux qu'il va chercher au plus près : pigeonneaux de Champigné,
escargots de Cornillé-les-Caves, canards de Nieul-sur-Layon, framboises
de Corzé, de quoi en faire tout un plat… Angevin d'adoption, ce jeune
chef est lui aussi largement tourné vers le végétal ; celui des légumes,
des fruits et des fleurs, dont l'abondance en Anjou l'a surpris.

❘ *Sandre de Loire, préparé par Pascal Favre d'Anne : échalotes cuites*
à la fleur de sel et glace au beurre blanc « sans beurre ni crème ».

Pommiers, poiriers, cerisiers ou pruniers sont aujourd'hui exploités par champs entiers. La prune est récoltée aux environs du 15 août. La reine-claude en particulier trouve un écrin parfait dans le pâté aux prunes, sorte de tourte à la pâte mi-sablée, mi-briochée. Une petite cheminée est creusée sur le dessus pour laisser l'humidité du fruit s'échapper à la cuisson. Entre moelleux et croquant, ce dessert est un régal.

Issue des pâturages verdoyants, la viande AOC maine-anjou est persillée et riche en saveurs. Bien souvent visibles depuis les petites routes du département, les troupeaux de vaches broutent l'herbe fraîche des prairies, première matière utilisée dans leur alimentation. Le veau et les volailles sont eux aussi bien présents dans la gastronomie : poularde à l'angevine, foie de veau à la baugeoise (de Baugé), cul de veau à l'angevine, autant de plats qui réchauffent les papilles. Pour la petite histoire, les bourgeois qui n'osaient demander du cul de veau commandaient une « indécence de veau » à leur boucher.

Quant aux rillauds, spécialité remontant à la Renaissance, ils sont de toutes les tablées. Ces morceaux de poitrine de porcs salés vingt-quatre heures, cuits dans leur graisse puis découpés en lanières se dégustent tièdes ou froids en apéritif, en salade, ou accompagnés de légumes frais.

Autre spécialité de l'Anjou, les fouaces (ou fouées) font la joie des gourmands, notamment lors de fêtes locales. Leur origine remonte au Moyen Age, mais une fois encore, c'est Rabelais qui en a fait leur renommée. « Faites de fine fleur de froment avec de beaux moyeux d'œufs et de beurre, safran, épices et eau. » Si la recette s'est allégée en se rapprochant du pain, on les mange toujours dès leur sortie du four : rondes ou carrées, ces fouaces sont ensuite garnies de rillettes, mogettes de champignons, ou tout simplement de beurre salé.

Omniprésente autour d'Angers, l'eau est une précieuse source d'inspiration pour les restaurateurs angevins. Brochet, sandre au beurre blanc, friture d'anguilles parfument merveilleusement le palais, et plus encore si on les déguste au bord de l'eau. C'est ainsi que de nombreuses guinguettes ont repris du service ces dernières années. En bord de Loire, de la Mayenne ou du Louet, ces restaurants sans chichi font la joie des Angevins à la belle saison.

Si la simplicité est de mise dans les plats de l'Anjou, elle n'empêche pas la recherche de l'excellence. Depuis quelque temps, de grands chefs rivalisent de créativité et de finesse pour séduire à partir de produits du terroir. Extraits des menus de Gérard Bossé (Une Ile) et de Pascal Favre d'Anne (le Favre d'Anne), tous deux étoilés à Angers : un saint-pierre au safran de Chemillé, une anguille de Loire fumée et son moelleux au sarrasin, ou bien une poularde de la cour d'Armoise.

Dans leur sillage, une pléiade de jeunes restaurateurs passés dans les cuisines des plus grands, en France ou à l'étranger. Beaucoup se fournissent auprès des producteurs locaux, veillent aux arrivages selon les saisons. Angers est devenu tendance en la matière ; de petits restaurants à la cuisine innovante, ou des cafés proposant des assiettes de dégustation accompagnées de vins régionaux fleurissent dans les rues d'Angers.

Les vins rouges, blancs et rosés sont très présents dans les menus. Il faut dire que la tradition viticole est ancienne : c'est au Moyen Age que Saint-Martin de Tours apporta le premier plan de chenin dans la région. Depuis, la variété des sols (calcaire, tuffeau, ardoise, schiste) et des cépages (chenin, cabernet, grolleau) a fait le reste. Le vignoble d'Anjou, qui s'étend dans la vallée de la Loire, compte une trentaine d'appellations. Quarts-de-chaume, savennières, coteaux-du-layon ou coteaux-de-l'aubance, aux arômes d'acacia, de verveine, de pêche ou de poire, sont parmi les plus célèbres. Ces vins blancs ont depuis longtemps dépassé les frontières.

I *Ci-contre et page suivante - La renommée de la liqueur Cointreau n'est plus à faire. Son parfum d'oranges douces et amères a depuis longtemps franchi les frontières. Servie en digestif, elle est également utilisée dans la préparation de desserts.*

Pour les vins rouges et rosés, c'est le cabernet qui domine : du saumur-champigny à l'anjou rouge aux accents fruités et printaniers en passant par l'anjou villages au rouge profond, le choix est large. Si le vignoble d'Anjou représente près de 20 000 hectares au total (le plus étendu du Val de Loire), les vignes sont réparties entre de nombreux domaines et viticulteurs. D'où une certaine émulation qui fait ressortir la qualité de ces vins, parmi lesquelles on trouve une production bio. La route touristique des vins d'Anjou offre une balade de 170 kilomètres : c'est une façon agréable de découvrir la région à travers de paysages viticoles, entre bords de Loire, corniche angevine et villages pittoresques.

Tout aussi connue dans le monde pour son goût unique, la liqueur Cointreau au parfum d'écorces douces et amères est distillée depuis 1849. Dégustée pure ou en cocktail, elle est présente dans plus de 200 pays ! La soupe angevine, à base de Cointreau, de saumur pétillant, de citron et de sirop de sucre de canne n'est jamais tombée dans l'oubli. Il en va de même des autres liqueurs, Giffard et Combier, des maisons qui ont su s'adapter en faisant évoluer les méthodes traditionnelles ou en proposant des cocktails à la mode.

On ne saurait refermer ce chapitre sans évoquer le quernon d'ardoise, petit carré de chocolat à la nougatine de couleur bleutée. Si son existence est récente (1966), il fait à présent partie des souvenirs made in Anjou à part entière ! Une friandise à grignoter de retour chez soi en repensant à la formule du gastronome Curnonsky évoquant son pays d'Angers : « Le paradis de la digestion paisible. »

Chez le même éditeur

En vente sur place dans les bonnes librairies, ou à défaut sur commande :

Beaux livres Déclics, groupe Le Petit Futé, 14 rue des Volontaires Paris XVe.

Tranches de Ville©	Merveilleux	Bourgogne	Normandie	**Collection France**	Sacrés chemins de Saint-Jacques-de-Compostelle
Aix-en-Provence	Jardins de Paris	Bretagne	Pays basque	Les plus belles Abbayes de France	Splendeurs de la France Sacrée
Angers	Incontournables Musées de Paris	Ports de Bretagne	Périgord	Prodigieuses Cathédrales de France	La France des Rois
Besançon	Paris Puces	Fêtes et traditions bretonnes	Perros-Guirec-Côte de Granit rose	Emouvantes Chapelles de France	La France souterraine
Bordeaux	Passages couverts de Paris	Calanques de Marseille à Cassis	Picardie	Intrigantes Demeures d'écrivains	Les plus beaux Villages de France
Brest - Pays des Abers	Pau	Camargue	Fêtes et traditions provençales	La France étrange et secrète	**Nouveaux regards**
Clermont-Ferrand	Poitiers - Futuroscope	Cévennes	Provence	La France fortifiée	Alpes
Dijon	Reims - Champagne	Champagne-Ardenne	Pyrénées	Gares de France un patrimoine remarquable	Paris
Grenoble	Rennes	Châteaux de la Loire	Quimper-Cornouaille	Les plus beaux hôtels de France	Musées de Paris
Le Havre	Rouen	Côte d'Azur	La Réunion	Le Jardin français, morceaux choisis	**Compostelle**
Lille-Métropole	Saint-Etienne	Côte d'Opale	Vannes - Golfe du Morbihan	Le Littoral de France	Chemin d'Arles
Lyon	Strasbourg	Franche-Comté	Vanoise	La France au Patrimoine de l'Unesco	Chemin du Puy-en-Velay
Marseille	Toulouse	Guadeloupe	Vendée	Processions et pèlerinages de France	Chemin de Tours
Metz	Tours	la Loire, Belle et rebelle	Vercors	Chefs-d'œuvre de la France romane	Chemin de Vézelay
Montpellier	**Tranches de France©**	Languedoc-Roussillon			Camino francés
Nancy	Alpes	La Rochelle-Ré-Oléron	**Vins & gastronomie**		Maisons d'hôte coup de cœur sur le Chemin du Puy
Nantes	Alsace	Limousin	Bouchons de Lyon		
Nice et son comté	Noël en Alsace	Lorraine	Brasseries de Paris		**Et aussi...**
Nimes pays gardois	Amiens, pays de Somme	Luberon	Bistrots de Chefs à Paris		Ile Maurice
Orléans-Sologne	Annecy, autour du lac	Martinique	Vignerons de Bordeaux		Toreros, la vertu du samouraï
Paris	Auvergne	Mercantour	Vignerons de Bourgogne		
Artisans de Paris	Bassin d'Arcachon	Nord-Pas-de-Calais			
Brasseries de Paris					

© Nouvelles Editions de l'Université 2011. 14, rue des Volontaires - 75015 Paris.

Tél. 01 53 69 70 00 - Fax 01 42 73 15 24 - E-mail : contact@declics.fr

Diffusion/distribution : Sofédis/Sodis - Achevé d'imprimé en octobre 2011, chez Papergraf S.p.A.,
via della resistenza 18, 35016 piazzola sul brenta, Italie.

Dépôt légal Octobre 2011 - Code ISBN 978-2-84768-280-9 - Code Sodis S473340

I *Double page suivante - Angers a aussi ses grands espace*
Une invitation à la méditation sur les bords de Main